Un bébé Alligator?

Robert Munsch

Illustrations de
Michael Martchenko

Texte français de Christiane Duchesne

Éditions SCHOLASTIC

À Kristen Bocking, Guelph, Ontario.

— R.M.

Les illustrations de ce livre ont été réalisées à l'aquarelle
sur des supports d'illustrations Crescent.

**La conception graphique de ce livre a été faite en QuarkXPress,
en caractère Hiroshige Medium de 17 points.**

Données de catalogage avant publication (Canada)
Munsch, Robert N., 1945-
[Alligator baby. Français]
Un bébé alligator?

Traduction de: Alligator baby.
ISBN 0-590-12391-2

I. Martchenko, Michael. II. Duchesne, Christiane, 1949-
III. Titre. IV. Titre: Alligator baby. Français.

PS8576.U575A8414 1997 jC813í.54 C97-930523-3
PZ23.M86Be 1997

ISBN-13 978-0-590-12391-4

Édition publiée par Éditions Scholastic, 604, rue King Ouest, Toronto (Ontario) M5V 1E1

14 13 12 11 10   Imprimé à Singapour 46   10 11 12 13 14

Cette nuit-là, la maman de Christine s'éveille
et se met à crier.

— Un bébé! Un bébé! Je vais avoir un bébé!

Le père de Christine bondit du lit, s'habille, prend la mère par la main, descend l'escalier, saute dans la voiture et démarre en trombe.

Vroooooooooum!

Par malheur, ils s'égarent. Ils ne vont pas vers l'hôpital, mais au zoo. Les choses se passent tout de même bien. La mère accouche d'un joli bébé. Puis, ils reviennent à la maison et frappent à la porte. *Bam, bam, bam, bam!*

Christine ouvre la porte. Sa mère est là,
tenant dans ses bras un paquet bien enveloppé
dans une couverture.

— Christine, demande sa mère, tu veux voir
ton petit frère?

— Oh oui! répond Christine.

Alors, Christine soulève un coin de la
couverture et aperçoit une longue queue verte.

— Un vrai bébé n'a pas de queue! déclare
Christine.

Christine soulève un autre coin de la
couverture et voit une longue griffe.

—Un vrai bébé n'a pas de griffes! dit-elle
encore.

Christine soulève alors un troisième coin
de la couverture, et c'est une longue tête verte
souriant de toutes ses dents qui apparaît.

— Ça, dit-elle, ce n'est pas mon petit frère.

— Voyons, Christine! Ne sois pas jalouse,
lui dit sa mère.

Aussitôt, le bébé sort la tête et mord le nez de sa maman.

— *Aaaaaaaah!* hurle-t-elle.

Puis le bébé mord aussi le nez de son papa.

— *Aaaaaaaah!* hurle-t-il.

— Ce n'est pas un vrai bébé, dit Christine. C'est un alligator.

— Ciel! s'écrie la mère. Nous n'avons pas le bon bébé!

Christine met l'alligator dans l'aquarium
pendant que son père et sa mère retournent
au zoo.

Ils reviennent une heure plus tard, et
frappent à la porte. *Bam, bam, bam, bam!*

Christine ouvre la porte.

— Tu veux voir ton petit frère? demande
sa mère.

— Oh oui! répond Christine.

Christine soulève un coin de la couverture et aperçoit une queue qui ressemble à une queue de poisson.

—Un vrai bébé n'a pas de queue! déclare Christine.

Christine soulève un autre coin de la couverture et voit alors une nageoire.

— Un vrai bébé n'a pas de nageoire! déclare Christine.

Christine soulève alors un troisième coin de la couverture, et c'est une drôle de tête avec des moustaches qui apparaît.

— Ce n'est pas une tête de vrai bébé! déclare Christine. Ce n'est pas mon petit frère!

— Voyons, Christine! dit sa mère. Ne sois pas jalouse...

Aussitôt le bébé sort ses nageoires et tape vivement les joues son père. *Ouap, ouap, ouap, ouap!*

— *Aaaaaaaaaah!* hurle-t-il. C'est un bébé phoque! Nous n'avons pas le bon bébé.

Christine dépose le bébé phoque dans la baignoire pendant que sa mère et son père retournent au zoo.

Une heure plus tard, ils reviennent et frappent à la porte. *Bam, bam, bam, bam!*

Christine ouvre la porte et sa maman lui dit :

— Christine, tu veux voir ton petit frère?

— Oh oui! dit Christine.

Elle soulève un coin de la couverture et aperçoit une patte toute poilue.

— Ce n'est pas une jambe de vrai bébé, déclare-t-elle.

Elle soulève un autre coin de la couverture et voit alors un bras tout poilu.

— Ce n'est pas un bras de vrai bébé, dit-elle.

Elle soulève un troisième coin de la couverture, et c'est une tête toute poilue qui apparaît.

— Ça, dit-elle, ce n'est pas une tête de vrai bébé. Ce n'est pas mon petit frère.

— Voyons, Christine, dit sa maman. Ne sois pas jalouse.

Le bébé sort les pattes, attrape une oreille du père et de la mère.

— *Aaaaaaaaaah!* hurlent-ils tous les deux à tue-tête. C'est un bébé gorille! Nous n'avons pas le bon bébé.

— Laissez-moi faire, dit Christine.

Sa mère et son père accrochent le bébé gorille au lustre du salon pendant que Christine enfourche sa bicyclette et file au zoo.

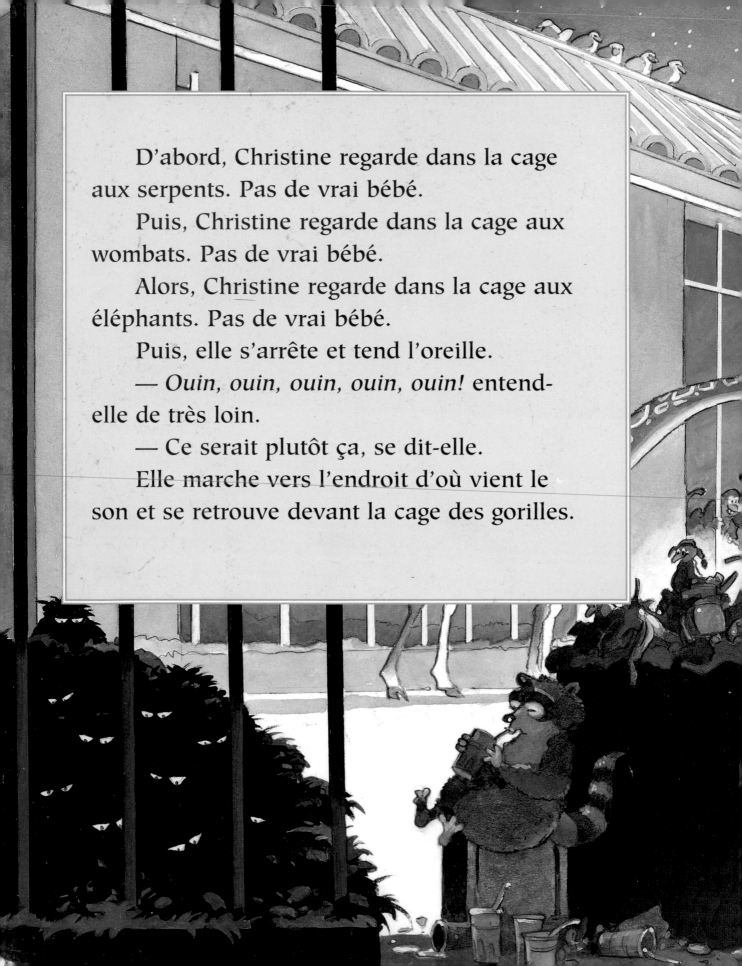

D'abord, Christine regarde dans la cage aux serpents. Pas de vrai bébé.

Puis, Christine regarde dans la cage aux wombats. Pas de vrai bébé.

Alors, Christine regarde dans la cage aux éléphants. Pas de vrai bébé.

Puis, elle s'arrête et tend l'oreille.

— *Ouin, ouin, ouin, ouin, ouin!* entend-elle de très loin.

— Ce serait plutôt ça, se dit-elle.

Elle marche vers l'endroit d'où vient le son et se retrouve devant la cage des gorilles.

19

Elle regarde la maman gorille.

— Donnez-moi mon petit frère, demande-t-elle.

La maman gorille bondit au fond de la cage et refuse de donner le bébé.

Aussitôt, le vrai bébé mord le nez de la maman gorille.

— *Aaaaaaaaah!* hurle la maman gorille.

Et elle tend le bébé à Christine.

Christine attrape le bébé, saute sur sa bicyclette et pédale à toute vitesse vers la maison.

Elle frappe à la porte. *Bam, bam, bam, bam!*

— Vous voulez voir votre nouveau bébé? demande-t-elle quand ils ouvrent la porte.

La mère soulève un coin de la couverture.

— Oh! ce sont des jambes de vrai bébé.

Elle soulève un autre coin de la couverture.

— Ce sont des mains de vrai bébé.

Elle soulève un troisième coin de la couverture.

— Oh! c'est un visage de vrai bébé.

La mère prend le bébé dans ses bras et l'embrasse très fort. Le père prend le bébé à son tour et l'embrasse aussi très fort.

— Christine, Christine, tu nous as ramené le bébé, lui dit sa mère. Bravo, ma petite!

— Mais qu'allons-nous faire de tous ces autres bébés? demande le père de Christine. Il y a un bébé phoque dans la baignoire, un bébé alligator dans l'aquarium et un bébé gorille pendu au lustre! Nous allons tous les rapporter au zoo.

Christine regarde par la fenêtre et dit...

— Je crois que nous n'avons rien à faire, rien du tout!

Et tout s'est bien passé... jusqu'au jour où
la maman de Christine a eu des jumeaux.